1과 A사이의 행복

정 인 수 지음

1과 A사이의 행복

발　행 | 2024년 06월 20일
저　자 | 정인수
펴낸이 | 한건희
교정.교열 | 작가 이정석
펴낸곳 | 주식회사 부크크
출판사등록 | 2014.07.15.(제2014-16호)
주　소 | 서울특별시 금천구 가산디지털1로 119 SK트윈타워 A동 305호
전　화 | 1670-8316
이메일 | info@bookk.co.kr

ISBN | 979-11-410-9045-6

www.bookk.co.kr

https://www.youtube.com/channel/UCK5IfPx1du2yIg_c7vUzfQQ유튜브(흙울림 코리아)
https://www.tiktok.com/@bayaba1 틱톡(흙울림)
https://www.instagram.com/huk_wol_lim_korea/ 인스타(huk wol lim korea)

차 례

머리말 ▶

공감과 위로가 필요한 모든분들께 이 책을 바칩니다.
두 번째 책이 나오기까지 많은 시간과 용기가 필요했지만, 누구나 책 한권의 인생은 살지 않은 사람은 없으실 거라 생각하며, 삶의 목적을 품고 살아가다가 어느새 잊혀진 기억 속에 갇혀버린 어른들에게 이 책이 위로와 치유, 그리고 깊은 공감을 전하기를 바라는 마음에 한발자국 더 다가서 보기로 마음 먹었습니다.
상처받지 않은 사람이 이 세상에 단 한 명이라도 있을까요? 인생의 길에서 외롭지 않게 나 자신을 친구삼아 함께 걸어 갈 수 있다면, 얼마나 큰 위안이 될까요?
힘듦을 꼭 경험해야만 행복하게 살 수 있는 것은 아닙니다. 일상에서 작은 행복을 찾는 경험이야말로 진정으로 자신을 사랑하는 방법이 아닐까요?
이 책은 세 개의 테마로 구성되어 있습니다. 기억, 죽음, 행복에 관하여 누구나 공감할 수 있는 글들로 꾸며져 있으며, 오래도록 여러분의 기억 속에 따뜻한 울림으로 남을 것입니다.
일반 시집과 달리, 작가의 의도와 주인공의 느낌을 시풀이와 감상평을 여러 논문을 준비하신분들 대상으로 평가받고 이를통해 쉽게 이해할 수 있도록 제작하였습니다.

2024. 06. 18.
정 인수 올림

평가 / 설명 참여인

=> 작가 신용무(다시 문앞에서), 연천 Collect 이기대 회장, 트레비스 김강욱 대표, 나한종합건설 이종수 대표이사, 가온조경 김순철 대표이사, 라온 피아노 원장 여신성, 국토관리청 정현석, 한국노총 이준영 위원장, 이한프로그램 이경국 대표, 고수의 운전 이성원 대표, 해운대 조선비치 호텔 김기남, 화물연대 차종길, 11사단본부 이종민 상사, 부자북스 대표 정영택, 66보병사단 최영일 상사, 영도경찰서 김정기, 아이브리조트 황요록/홍상호, 아기천사어린이집 공경희 원장, (주)이마트 배준석, 주식회사 마하시행사 김강욱 대표, 한국모노레일 이화섭 이사, 전삼성전자 임원 이선우, 문경모노레일 장한봉 소장, 자문교사 김을희, 작가 이정석, 부산 서구청 정진우 주무관, 범아상사 사무장 하형종, 성신환경 김성수 대표, 한국 교통안전공단 특수검사 김성하 / 이형돈, 부산 중구청 김미희 주무관, 아이브 김동인 실장, 현대오일뱅크 구홍식 / 김준엽, 울릉도 김지호 주사, 서구청 시니어 박미경, 김해중앙교회 김경희, 합천모노레일 문석순 소장, 목장원 박성배 이사, 닥밭골 왕재용 이사장, 예당호 지영호 이사, 강혜경 소장, 해병1사단 윤준식, 연천 수집소 이언두 사장, 삼원FA 교통센터 운영팀 이성수, 소담 사회적 기업

냉철한 평가와 조화로운 설명 감사드립니다.

제 1 Jang

기억과 눈물에 관하여

삼킨 마음

태풍의 눈에
내 마음을
실어 보냈다

그걸본
잡초사이
개나리가
이슬맺힌
눈망울을 보여주며
말을했다

난 니편이야

내 고독에
스테이크를 먹이다

이런저런
지갑핑계
피해왔던
외식시간

등심
안심
이런
맛이구나

반백살에
고독의
맛을
삼키고
씹고
느끼다

☞ 고독과 음식을 통해 감정과 경험을 표현하는 아름다운 작품입니다. 스테이크라는 음식을 통해 혼자 있는 순간을 즐기는 감정을 표현하고, 그 과정에서 지갑핑계와 같은 현실적인 고민들도 함께 녹아들어 있어서 좋네요. 마지막 줄에서는 고독한 순간을 견디며 자아를 발견하는 과정을 상상하게 합니다. 이러한 감정들을 담은 시는 독특하고 감동적이며, 읽는이에게 공감과 생각의 여지를 남기는 작품으로 기억될 것 입니다.

먼저 삼키고 씹고 느끼다 부분의 표현이 갑작스런 외식으로 인한 당황됨을 표현한거 같아 현실감이 있고 재미를 더해 줍니다.

당신의 한줄

『 』

ㄱ

그때의
기억은
고마움
이었고

추억과
그리움
이었다

☞ 시에서는 ㄱ으로 시작하는 단어의 첫 자로 "그때의 기억"이 "고마움"과 "그리움"으로 이어지는 감정을 표현하고 있습니다. 이는 주인공의 경험이 당신에게 소중한 것으로 남아있고, 그로부터 느꼈던 감정이 감사함과 그리움으로 이어진다는 것을 보여줍니다. 이었고/이었다란 말로 연을 마무리하는 이 시는 짧지만 감정의 전달이 명확하고 감동적으로 다가옵니다. 이런 간결한 표현으로도 읽는이들에게 여러 가지 감정을 불러일으킬 수 있음이 상당한 공감을 일으킵니다.

제목이 주는 특별함이 인상적이네요

당신의 한줄

『　　　　　　　　　　　　　　　　　　』

눈

보드랍고
아름답고
깨끗한
자태로
친근함을
건네는 너

차갑지만
숨결속에
녹아가며
떨며 저항하는
너를

지긋히
안아본다

☞ 자연의 아름다움과 그 안에서 느껴지는 따뜻한 감정을 담고 있어 아름다운 시입니다.

눈은 차갑지만 부드럽고 아름답고 깨끗한 자태로 우리에게 친근함을 전달합니다. 작가는 눈을 통해 자연의 아름다움을 느끼면서 동시에 그 안에서 숨쉬는 삶의 저항과 따뜻함을 경험하는 것 같습니다.

눈의 차가움과 아름다움을 지긋이 안아보며, 자연과 함께하는 소중한 순간을 표현한 시입니다. 이런 아름다운 메시지와 표현으로 인해, 상당히 평가가치가 높은 귀한 시라는 생각이 듭니다.

당신의 한줄

『 』

그 사랑의 준비된 슬픔

그 사랑은
더욱 빛났다는 사실

그 사랑은
눈물로 물드는 순간에도
아름다움을 지켰다는 사실

그래서
그 사랑은
슬픔이 아니라
슬프다는 것이
진심이었다는 것을
알게되는 것

☞ 사랑의 아름다움과 그 속에 담긴 슬픔을 진솔하게 표현하여, 읽는이에게 깊은 순간의 아름다움을 줍니다. 아름다움을 지키는 순간에도 슬픔이 진심임을 깨닫는 과정이 잘 그려져 있습니다.

시의 언어와 구조가 조화를 이루며, 아름다움과 슬픔을 동시에 느끼게 합니다.

"그 사랑의 준비된 슬픔"은 사랑의 빛남과 아름다움, 그리고 그 이면에 담긴 슬픔을 진솔하게 표현한 시입니다. 간결한 표현 속에서도 깊은 감정을 잘 전달하며, 사랑의 진심을 깨닫는 과정을 아름답게 그려냈습니다.

간결하면서도 감정을 잘 전달하는 표현, 사랑의 진심을 깨닫는 과정의 깊이 구체적인 묘사를 통해 감정의 깊이를 더할 수 있는점이 장점입니다.

당신의 한줄

『 』

창밖으로 덧붙인 이야기

고요한밤, 별이 내린 창밖
나 혼자 머물며 덧붙인 마음
숨겨진 진심과 가리워진 진실

덧붙인 마음 속에
남겨진 상처와 지워진 기억

덧붙여진 관계 속에
희미해지는 감정

끝내 덧없이
사라지는 모든 것들

생각에 잠겨 시간이 멈춘 순간
나의 작은 우주 속에 머무네

☞ 감정과 관계의 변화를 깊이 있게 표현하고 있으며, 반복과 대조, 상징을 효과적으로 사용하여 주제를 잘 전달하고 있습니다. 간결한 표현 속에 깊은 감정을 담아내어 읽는이에게 강한 인상을 남깁니다. 시의 형식과 내용이 매우 조화롭고, 표현 기법이 뛰어납니다. 덧붙인 것들로 인한 감정의 변화를 독자에게 공감과 감동을 주며, 삶의 진리와 허무함을 철학적으로 담아낸 능력이 인상적입니다.

당신의 한줄

『 』

습 관

가장 좋은 습관은
추억을 간직하는 습관이 아닐까

가장 나쁜 습관은
손가락 사이로 스며든
그늘의 노예가 되는것과
한잔술에 자유의 날개를
잃어 가는거..

가장 무서운 습관은
얼었던 기억과 아픈 추억을
간직하며 살아가는거

당신의 한줄

『 』

그 꽃

그 꽃을
바라보고
있으니

나의 향기로
남았다

당신의 한줄

『 』

머금다

보고싶다
말하면

눈물이
흘러내릴까
싶어

미소만
머금어
봅니다

당신의 한줄

『 』

전하지 못한 습작

그때의 웃음
그때의 눈물
전하지 못한
그 기억의
온기들

마음속
깊이새긴
바람결
필름 속삭임

발버둥치는
순간이
그때의
비석같은 순간
극복하리

함께 만날 그날
내 기억들이
전하지 못한
그 순간
보필하리라

그 아빠는 그 자리에서
한참을 더 울어야 했다

해줄수 있는
무언가가 없음에

마음의 언덕이
죽음의 그늘보다 높은

수평선 저끝
너머에 걸려있음에

그 모든 순간이
그 모든 사랑이
그 모든 벅참이

가난한 아빠
그 아빠의 마음속에서
눈물꽃 피워낸다

시절아픔

일기장을 연다
40년전을

어느겨울
엄마가 병이 났다
그 고통을
지켜볼 수밖에 없다
내가 더 아팠으면 좋겠다
작은 손글씨로 눌러쓴
간절한 소망

부모님의 희생과 사랑
그것은
나를 강하게 만든 원천

그 시절의 약봉지엔
눈물속 믿음의 알약이 있었다

일기장을 닫는다 오늘을

몽땅연필

몽땅에 풀어나는 생각들
연필로 표현하고자 하는 그리움

한 줄기 빛의
조각기억 따라가며

우리의 이야기를 그려내는
모나지 않은 그 연필처럼

☞ 몽땅연필을 매개로 한 창작의 과정과 그 속에 담긴 감정을 잘 표현하고 있습니다. 짧지만 강한 표현 속에 깊은 감정을 담아내어, 읽는이로 하여금 강한 인상을 남깁니다.

비유와 상징을 효과적으로 사용하여 창작의 과정을 생생하게 묘사하고, 조화로우며 그리움을 표현하는 기법과 능력이 돋보입니다.

짧은 문장 속에 깊은 감정을 담아내는 능력이 특히 인상적입니다. 몽땅연필을 통한 창작의 과정을 잘 묘사하여, 읽는이에게 강한 공감과 감동을 줍니다.

당신의 한줄

『　　　　　　　　　　　　　　　　　　』

먼지 다듬이

밤잠설쳐
새벽부터
주섬주섬
챙겨입고

일찍이도
나서본다

보고싶어
왔다가도
벌레모습
놀랄까봐

먼발치서
목례하고
느린걸음
재촉한다

개똥시절

풋풋한
가슴쿵쾅대던
그시절

아팠지만
아름다웠어

☞ 간결하면서도 감정을 잘 전달하고 있습니다. 개똥시절 이라는 비유가 재미있고 인상적이에요.

그 시절의 아픔과 아름다움을 대조적으로 표현하여, 삶의 복잡성과 아름다움을 감동적으로 담아내었습니다. 또한, 강조된 감정들은 독자의 공감을 자아내며, 그 시절을 공유하는 우리 모두에게 공감을 일으킬 수 있어요. 전반적으로 감정과 표현이 잘 어우러져 있는 시입니다.

언제나 그 눈물은
숨기고 있었다

시련에 괴롭고 힘들때도
상사한테 맞았을때도
대기업 취업시험 탈락때도
대출이자 감당할때도
내 진심이 무례함에 묻힐때도
믿었던 사람이 날 버렸을때도
아무도 알아주지 않았을때도

그랬다...

☞ 강렬한 감정을 담아내고 있는 글이네요. 눈물을 감추고 버티어온 많은 어려움들을 묘사하고 있습니다. 이런 상황들은 누구나 겪을 수 있는 일들이지만, 그것을 혼자 감당하고 견뎌내는 과정은 참으로 힘든 일일 것입니다. 그렇지만 이런 어려움들을 이겨내고 온 것만큼 주인공의 강인함과 인내심에 경의를 표하며 읽는이로 하여금 성숙한 공감대와 강인한 정신력을 심어 줄수 있는거 같아요

당신의 한줄

『 』

화 장 실

이른아침
물한잔에
건강챙겨

엄마소리
들려온다

오줌누면
물내리라

당신의 한줄

『 』

택 시

한바퀴 돌고 도착한곳
지켜보는 아들
와 아빠차다
또 돌아오면 아빠얼굴 빙그레
퇴근길 반짝이는 100원 동전10개
내밀던 두꺼운 손

동전받아 저금하는 오늘
오늘도 경주역 앞에는 아빠 택시
기다리는 꼬마가 있네

당신의 한줄

『 』

다 락 방

내가 있던 다락방은
비가 몹시 많이 온날
방안에 똥이 물위에 떠 다니고
개구리가 헤엄치고 있는 집
부모님이 방안에서 부엌으로
부엌에서 밖으로 퍼내는 시간

이불을 다락에 올리고
나를 그위에 앉혔지
엄마도 물에 빠진다고
올라오라고 소리쳤지

그 소리는 못듣고
방안에 물만 퍼냈지
계속 퍼냈지..
퍼낸물은 다시 또
방으로 들어오고..

☞ 어린 시절의 상황을 통해 주인공의 성장과 변화를 엿볼 수 있습니다.

그는 어린 시절의 어려움과 부모님의 교훈을 통해 성숙하게 배워갔음을 암시합니다.

또한 그의 어린 시절의 경험은 그가 현재의 자아를 형성하는 과정에서 중요한 역할을 한 것으로 보입니다. 어린아이의 무지와 무력함이 공감되는 좋은 작품입니다.

당신의 한줄

『 』

피 자

시장입구 작은피자집
구겨진지폐한장 꺼내들고

없는살림
5000짜리 우리가족
피자파티시절

유치원 다녀오던 아들 왈
우린 언제 정상적인 피자 먹어?

☞ 피자를 소재로 한 이 시는 가난한 가정의 현실과 아이의 순수한 질문을 통해 사회적인 문제를 직시하고 있습니다.

가난한 가정에서도 소중한 가족과 함께하는 소박한 즐거움을 묘사하고 있습니다. 그러나 "유치원 다녀오던 아들 왈, 우린 언제 정상적인 피자 먹어?"는 아이의 순수한 질문을 통해 가난한 가정의 어려움을 보여줍니다.

이 시는 가난과 부족함에도 불구하고 소중한 순간을 함께하는 가족의 소중함과 아이의 순수한 궁금증을 감동적으로 담아내고 있습니다.

당신의 한줄

『 』

술

탁치고 거품내서 마셨네
큰소리치며 마셨네
기분좋아 마셨네
기어다니면서 마셨네
노래부르며 마셨네
욕하면서 마셨네
썩어서도 마셨네

마! 니 영화 찍나? 누가 깨운다
정신차려보니 길바닥 어서오세요
깔판 안
옆에 가지런히 벗어 놓은 구두가
아침햇살에 반짝이네

☞ 술에 대한 다양한 경험과 그로 인한 상황을 다루는게 신선합니다. 다양한 감정과 행동을 묘사하고 있으며 "누가 깨운다"는 주변에서의 간섭과 실감나는 술취한 상황을 담고 있습니다.

하지만 "정신깨서 보니 길바닥 어서오세요, 깔판안"은 술취한 상태에서 깨어나 현실을 인식하는 상황을 다루고 있습니다. "옆에 가지런히 벗어 놓은 구두가 햇빛햇살에 반짝이네"는 술에 취해 길바닥에서 깨어나고 있음을 묘사하며, 이러한 상황을 재미있게하게 표현하고 있습니다. 이 시는 술에 대한 경험과 술로 인한 상황을 생생하게 담아내면서도 그로 인한 현실과의 충돌을 묘사하고 있어서 읽어내고 생각거리가 있기에 충분하며, 공감대를 형성할수 있을듯 합니다.

당신의 한줄

『

』

술잔속 태풍

하루하루
기억거리

사무치는
그리움에
몸서리치며

비수같은
무례함에
악몽꿈만
여러나날

그 기억의
끝을
치유하고
털어넣자
사라졌다

☞ 감정의 폭풍 속에서의 고통스러운 기억을 담고 있네요. 소주잔속 마치 감정의 소용돌이 속에서 기억들이 혼돈을 일으키고 있는 모습을 상징적으로 묘사하고 있습니다.

시인은 매일매일의 기억들이 사무치는 그리움과 고통으로 몸을 휘젓는다는 듯한 이미지를 전달하고 있으며 무례함에라는 표현은 과거의 상처나 아픔이 마치 칼날처럼 날카롭게 다가오는 듯한 느낌을 전달하고 있습니다.

하지만 시인은 이러한 기억의 고통과 상처를 치유하고 한잔술에 들어있는 마음의 태풍을 털어넣으려는 결의를 표현하고 있습니다. 마지막 구절은 마치 지난 아픔들을 마음 깊숙히 묻고, 그것들을 이겨내려는 의지를 나타내며 감정의 깊이와 변화, 그리고 그 과정에서의 희망을 담고 있어서 다양한 생각과 감정을 불러일으킬 수 있을 것 같습니다.

당신의 한줄

『 』

Tears(물방울)

이유없이
솟아나고
마구마구
흘러내릴때가
있었다

몰랐었다
정말
이유를

닦지못한
그눈물은
구름의
파도에
실어보내고

소금기
머금은
모래를
껴안았어

☞ 종종 우리가 자신의 감정을 이해하기 어려운 순간들이 있음을 암시하고 있습니다. 때로는 감정의 원인이 분명하지 않거나 이해하기 어려울 수 있습니다.

감정의 복잡성과 눈물이 소금기와 같이 하늘의 머금은 파도에 실려가며 안기게 된다는 비유적인 표현을 사용하여 감정의 복잡성을 묘사하는 점이 놀랍습니다.

눈물이 소금기와 같이 함께하면서 상처를 치유하는 과정을 보여주고 있으며 감정적인 아픔이나 슬픔이 자연적인 과정을 통해 치유되고, 그 과정에서 우리는 더욱 강해지고 성장한다는 의미를 담고 있어 감성적입니다.

당신의 한줄

『 』

아 신발끈

간만에
친구놈이
한잔산다
소리치네
제법 마이 나왔을거
같은데...

당차게
문말고 나간놈이
신발끈만 10분 고쳐매네

내가
사고 말자
친구야 이젠 더 이상
신발끈 안풀어도 된다

기억 조각

작은 바람결
흩날린 사진한장

내추억속
보물한장

웃음새긴
서로손길
기억비석
찰나의 그 순간
흩날려

추억조각
내맘 조각수와 같을까?

당신의 한줄

『　　　　　　　　　　　　　　』

노 가 다

대학나와
빈둥빈둥
이놈저놈
입을대네

노가다판
반장새끼
나한테만
지랄하네

벽돌들짐
날라보니
부모님이
그리우네

은 사

어릴적
저힐
아시나요

세월의 기억은
바람대로

잠시기억
회색빛깔의 시

괜찮아
지금만 있는건
아니잖아

도화지를
함께 펼치자
그림이 완성 되었다

그 시기에

난

내눈에

바닷물이

집만큼 가득차

있는줄 알았다

☞ 이 시는 감정과 상상력을 잘 혼합한 것 같아요. 바닷물이 집만큼 가득 찬다는 상상은 꽤 강렬한 비유적 표현으로 보여집니다.

이것이 저자가 어떤 시점에서 내면적으로 많은 것을 느끼고 있었다는 것을 시적으로 잘 전달해주는 것 같아요.

이런 비유적 표현은 다양한 해석의 여지를 남겨주고, 감정을 공감하고 공감 받을 수 있게 합니다.

감동적이고 깊은 내용을 담고 있어 좋은글입니다.

당신의 한줄

『 』

1과 A사이

1과 A가
결혼했네

1왈
야A
니 와 그렇게
생깃노 환자 같다야

A왈
넌 무슨 삐쩍골아가
무슨 낯판때기가 그따구로
재수없게 생겨 먹은거냐?

10년전에는 1은 A의 한쪽을
지긋히 포개며 기둥이 되기로
했거늘 쯧쯧 혀를차며 나무란다

빙신들
둘다 이상하게 생겼구만
지나가던
ㄱ이 한마디 던지고 사라진다

☞ 숫자와 알파벳을 통해 특이한 상황을 재미나게 묘사하고 있어요. 1과 A라는 다양한 의미를 가진 요소들을 이용하여 결혼의 상황을 자연스레 묘사하고 있어요. 이들이 서로 대화하며 상황을 풀어나가는 과정에서 우스꽝스러운 상황이 재미있게 그려지며, 특히 마지막에 등장하는 "ㄱ"이라는 인물이 이들의 이러한 모습을 지적하는 장면은 더욱 웃음을 자아낼 것입니다. 전반적으로 관계와 거리를 비유하여 유머와 재치를 잘 담아낸 좋은 작품입니다.

당신의 한줄

『 』

내 무 반

경상도에
전라도에
제주도와
서울놈이
오순도순
모여앉아
영화한편
찍는그곳

동분서주
정신없는
쫄병들과

티비보는
고참새끼
뽀그리만
저빼때지
그기름기
우짤끼고

친구한잔

한잔술에
고주망태

나이들어
더는안돼

인사불성
친구놈에
나는멀쩡

식어가는
안주보며
한잔더
기울여 본다

근데
이젓가락이
니끼가
내끼가

너 거기

나 여기

가슴깊이 새겨진
심장 한번씩 꺼내보며
약속한 추억으로 잠든다

어제일처럼 기억나는 향기속
인연을 커피잔에 띄워보며

어두운 바다가 모래알너머로
달빛에 일렁이는 세월파도

술한잔 생각에 그냥 꾹 눌러본다
니가 생각 날까봐서

☞ 이 시는 그리움과 추억, 사랑의 깊이를 담담하면서도 섬세하게 표현한 작품입니다. 시어의 선택과 이미지의 사용이 탁월하며, 읽는이에게 감동을 줄 수 있는 요소들이 잘 어우러져 있습니다. 전반적으로 높은 평가를 받을 만합니다.

시의 감정과 표현이 매우 훌륭하며, 서로에 대한 그리움과 생각을 표현함과 감정적 상상력을 자극하게 만듭니다.

당신의 한줄

『 』

상　처

멀리 있지만 가까이 있어
커보이는
그 이름 상처

눈에 보이는 상처는 작은 것이요
눈에 보이지 않는 상처는
시시각각 아주 날카롭게
파내려간다

당신의 한줄

『　　　　　　　　　　　　　』

내 진심은 거기 없었다

고통의 기억
사무치는
방황의 끝을

돌아온 시간이
알려줬다

고통은
용서할 사람이
있을때
느끼는 거라고

잊고 있었다
가슴치는 한마디
그 억시가 신심 이었다

우 리
사 위

애지중지 아끼고 내아들보다 좋다는
그 사우
다른 놈들 필요엄꼬 니가 최고인기라

오늘도 마음가는 부탁으로 사우 영양가
없이 바빠
돈 못벌고 못드리면 몸이 고생인걸
어떻게 하겠나
그 중 제일 안타까운건 마음을 준거네

보석가진 사우 등장에 우리사우
근심 만드네
보석사우 동구밭 배추까지 뽑아옴시
우리 장인장모 덩실덩실
우리 사우 어느날 장인이 얼굴로 던진
밥상에 마음을 알아버렸네
흐르는 눈물은 닦지 않는게 맞는거지

☞ 가정 내에서의 역할과 가치에 대한 고찰을 통해 사랑과 용기, 그리고 갈등의 복잡한 감정을 보여주는 시네요

부모로부터의 사랑과 노력에 감사하며, 가정 내에서의 역할과 책임에 대해 생각합니다.

그렇지만 부모의 노력에도 불구하고, 다른 사람들의 평가나 외부 요인에 영향을 받아 삶에 대한 불안을 느끼는 모습이 담겨 있네요

주인공은 가족으로서의 역할을 다하면서 겪는 어려움을 나타내며 돈을 벌고 가정을 위해 헌신하는 동시에, 자신의 욕구나 감정을 감추는듯한 모습을 보여주는 표현이 독특하네요

이어지는 부분에서 "보석가진 사우 등장에 막내사우 근심 만드네"라는 표현을 통해 가족 구성원 간의 비교와 갈등을 나타내며 부모가 가진 사랑과 희생에 대한 감사와 이해를 표현하며, 눈물을 흘리면서도 그들의 사랑과 희생을 소중히 여기는 모습을 보여주는 정신적 강인함을 보여 주는 듯 합니다.

당신의 한줄

『 』

ASMR

그 소리가
내일상에는 들리지 않아

딸이 좋은소리라고 이어폰을
내귀에 꽂아준다
비가 처마 밑으로 똑똑
떨어지는 소리가 들린다

나의 추억도 그 소리에 묻혀든다
고즈넉한 할머니댁에서 따듯한
아랫목에 배깔고 초가 문턱넘어
듣던 그소리

당신의 한줄

『 』

때린놈과 맞는놈

감정폭발
면상갈겨
후려친 기억
통쾌함을 느낀 손맛

얼굴 쳐다보다
준비없는
안면강타
시원함을 느낀 면상

맞고보니
맛이 가겠구나

근데 때릴때보다
맞는게
살짝 나은 것
같기도 하다야

보 물 상

그 고물상에 사는
사람이 내 친구네

종이산에서는 미끄럼틀 타고
냉장고에서 숨바꼭질 하네

판자촌집은 음악이
흐르는 카페
그곳에 우리가 있네

하한역치의 끝판
그곳이 보물상인걸
알게 되었네

☞ 삶의 작은 순간들이 어떻게 소중한 추억으로 남을 수 있는지를 잘 보여주는 시입니다.

그리고 먼 훗날에는 그 곳이 보물상이 되었다는 것을 깨닫게 되는데, 이는 그들과 함께한 소중한 순간들이 가치 있고 소중하다는 것을 깨닫게 되었다는 것을 의미합니다. 이 시는 단순한 고물상이 아닌 소중한 추억과 우정의 장소로 기억될 수 있음을 감상적으로 표현하고 있음이 향수와 상상력을 자극합니다.

당신의 한줄

『 』

휴 가

여름휴가
배낭메고
가족들과
텐트치고
고기굽네
참맛있네
이런기분
휴가구나

꿈속단잠
내볼따구
잡아채는
누군가가
소리치네

일나바라
오늘출근
안할끼가

군대라면

어두운밤
짜파게티
잘못뜯어
온통검은
파편천국

식은땀에
순간얼음

라면의
한마디
느그고참
이야밤에
너구리
먹는다고
지랄이가?

양 주

대학축제
인근옥상
모여앉아
고등학생
신분으로
기분내며
양주한잔

밤새도록
폭탄주와
캡틴큐에
기어다녀
마셨다네

성인되어
좋고비싼
양주봐도
캡틴큐맛
주구장창
오바이트

☞ 학창시절 추억내용이라 신선합니다.

학생 신분으로 마시면 안되는 술을 들이켰고, 술이 젊음과 자유로움을 상징하는 요소로 사용되고 있습니다. 그리고 그시절 즐거움과 열정을 보여주고 있으나, 성인되어 좋고 비싼 양주 봐도 캡틴큐 맛 주구장창 오바이트 라는 문구는 어린시절의 열정과 달리, 성인이 된 후에는 그런 경험이 아무리 좋은 술을 봐도 캡틴큐 양주 맛(저가양주)을 기억하게 하고 아픈기억으로 자리잡았음을 느끼게 만듭니다.

이 시는 젊음과 성숙함, 그리고 성장에 대한 생각을 신선하게 그려내고 있네요.

당신의 한줄

『 』

겨울밤

움츠린
별 빛
가득한밤

달빛에
그을린
고독감

낯 선
하늘땅
내마음
한스푼
얹 어
띄워본다

☞ 이 시의 내용으로 보아 겨울밤의 고독한 느낌을 시인은 별빛이 가득한 어두운 밤 속에서 고독감을 느끼고 표현하고자 했습니다.

달빛 아래에서는 더욱 고독한 느낌이 강조되며, 하늘에 얹은 마음 한 스푼이 어떤 의미로 떠올리는지 상상해 볼 수 있습니다. 이 시는 어두운 겨울밤의 분위기와 함께 내면의 고요함과 고독함을 묘사하고 있습니다.

당신의 한줄

『 』

수학여행

눈부시게
아름답던
그 청춘

친구들과
함께였기에
하나였다

그 기억의
감정들이
눈물샘을
덮친다

내 전부를
내놓고
돌아갈수 있다면
선택하리

어쩌다 내일

오늘
시작못한
이일을

내일은
할수
있는건가

당신의 한줄

『　　　　　　　　　　　　　　　　　　』

사 진

내가 찍은 사진에 내가족이 있네

내가 찍은 사진에 꽃과 나비
그리고 향기가 있네

내가 찍은 사진에 나의
조각들과 추억의 노래소리가 있네

내가 찍은 사진에 아득한
책임감이 있네

내가 찍은 사진에 내가 갔던 곳의
발자취가 담겨져 있네

내가 찍은 사진에 내가 없네
셔터 누를때 소리의 흔적 만이
남아 있네

하지만 외롭진 않다네
나의 사진에 밝게 웃어주는
딸아이가 있거든

☞ 사진을 통해 삶의 순간들과 그 속에 담긴 의미를 표현하는 포근함이 있는 글입니다. 글쓴이는 자신이 찍은 사진 속에 가족과 자연, 추억과 책임감, 여행의 발자취 등을 발견하면서 그 속에 자신의 존재를 느끼고 있습니다.

그러나 사진 속에서 자신의 모습을 찾을 수 없음을 발견하면서도, 밝게 웃는 딸아이의 모습을 통해 외롭지 않다는 안정감을 느낍니다.

이 시는 사진을 통해 삶의 다양한 면과 그 속에 담긴 소중한 순간들을 담아내며, 그 속에서 자신의 존재를 확인하고 안도함을 느끼는 모습을 보여주고 있음이 상당한 표현의 글입니다.

당신의 한줄

『 』

덩치큰놈

해골인놈

물건큰놈

칼빵 있는놈

손목 그은놈

손등 칼문신

가슴팍

호랑이 문신

기겁하고

슬금슬금

어린시절 그 목욕탕

☞ 강렬한 이미지와 묘사를 사용하여 어떤 장면을 묘사하는것 같네요. 구체적인 표현들은 사실적인 장면을 떠올리게 합니다. 또한, "칼빵 있는놈"과 "손목 그은놈"과 같은 부가적인 묘사는 캐릭터를 더욱 생생하게 만듭니다. 마지막으로 "가슴팍 호랑이 문신"은 캐릭터의 특징을 강조하고, 그의 독특한 면모를 강조합니다. 전체적으로, 이 시는 독특한 화법과 이미지로 흥미롭게 그려진 장면을 보여주는 것 같네요.

일반적으로 시의 제목은 시의 내용이나 주제를 간결하게 요약하거나 강조하는 역할을 합니다. 하지만 이 시에서는 제목이 시의 말미에 위치하여, 읽는이가 시 전체를 읽은 후에야 제목의 의미가 완전히 드러나게 됩니다. 이것은 독특한 접근이며, 더 궁금증을 자아내어 시를 완전히 이해하고자 하는 호기심을 유발할 수 있습니다. 이러한 구조는 시를 더욱 흥미롭게 만들어 줄 수 있습니다.

당신의 한줄

『 』

여행스케치

노지에서
별들보며
시간가는
재미있어

파도소리
우중차박
등반하고
단독캠핑

휴게소의
샤워시설

하늘아래
부러운게
없구나야

어느날은
여행객의
웃음소리
나도저런
때가있지

문득문득
가느다란
감정샘터
모여드는
보석들을
울컥울컥
토해낸다

☞ 여행의 감정과 경험을 아름답게 담아낸 시네요. 주제와 표현으로 여행의 다양한 순간들 - 별을 보며, 파도 소리, 등반, 캠핑 등을 통해 독자가 마치 그 장면에 있는 듯한 느낌을 주고 있습니다. 자연스럽고 생동감 넘치는 표현들이 돋보입니다.

중간 부분에서 "여행객의 웃음소리"와 "문득문득 가느다란 감정샘터" 같은 표현들은 시의 감정적 깊이를 더해줍니다. 여행 중 느끼는 추억과 감정들이 고스란히 전달됩니다. 자연과 함께하며 느끼는 여행의 소중함과 즐거움, 때로는 가슴 아픈 감정까지, 다양한 감정이 어우러진 듯한 신선한 느낌이 특색있는 시입니다.

당신의 한줄

『 』

December Tears

그겨울밤
맨몸으로
논바닥을
실성한듯
거닐었소

가족모임
의견충돌
인성말종
둘째동서
사과하라
말한마디
내뱉었소

귀어두운
장인어른
날아오는
얼굴밥상

스무해의
추억들이
거품같이
사라졌소

빈곤살림
마음빼곤
드린것은
없다지만

부모잃은
만신창이
백년사위

생각한번
해보셨소?

☞ 마음 아픈 상황을 담은 시네요. 마음을 비우고 걷는 모습과 같은 상처받은 마음을 가족 간의 갈등으로 그린 시네요.

고독한 감정과 상처, 그리고 그로 인한 생각들이 표현되었고, 마음을 나누고 공감할수 있는 중요한 가르침을 주네요

당신의 한줄

『 』

5번

이집 5번은

집앞입구서 눈칠보고 신발을 벗네

이집 1번은 아내

2번은 딸

3번은 개

4번은 아들

바로 내가 5번이라네

먹을때도 잘때도 눈치를 보네

갈곳 하나 없는 나의 화목한집

새벽녘 행여나 개가 깰까봐

뒷꿈치 들고 나가는 5번의

구두소리가 있네

☞ 내용과 표현은 유머러스하면서도 현실적이어서 재미있고 유쾌한 느낌을 줍니다.

일상적인 상황을 재치 있게 표현하여 읽는이에게 색다른 시감을 선사합니다. 시 전체적으로는 간결하면서도 분위기를 잘 살려낸 것 같아요. 전반적으로 훌륭한 시라고 생각되네요.

당신의 한줄

『 』

70즈음하여

누가 그랬나요
인생70부터라고
장인영감 앞뒤 구분 못하고
자식들 허리휘메 좋은차 타령

난 인생 70되면 앞뒤구분
되는줄 알았소

우리손자 서울대 가야지?
이웃손자 의과대 들어간다더라

밥상머리 다른 동네 자식자랑
듣는 자식 이노무자식 되는구나

자식들 하나 둘 물질노예 되며
사위도, 아들도, 딸도, 손자/손녀도
모두들 남들 비교하는 버릇 생겼네

아버님은 대통령 안되시고
뭐 하셨나요?

☞ 노년에 이르면서도 사회적 압력과 가족의 기대에 대한 불만과 고민이 잘 그려져 있네요. 인생이 70세부터 시작되는 것이 아니라는 사실을 깊은 고민으로 풀어내면서, 노년이 도래하면서도 자식들의 경제적 성공과 사회적 지위에 대한 부담을 겪는 과장을 보여주고 있습니다. 부모의 성공에 대한 기대와 자식들의 경쟁심이 가족 내부에서 불편함을 초래하고 있는 모습을 담고 있네요.

마지막 부분에서는 부모의 성공과 직업적 지위에 대한 부담을 어떻게 이해해야 할지에 대한 질문이 제기되고 있습니다. 이 시는 가족 내부의 경쟁과 사회적 압력에 대한 현실적인 고찰을 담고 있습니다.

당신의 한줄

『 』

가장 아빠

아프면 아프다고
힘들면 힘들다고
표현해야 됐었다

언제까지 가장은
가장이고
난 아빠였다

사랑표현이 서툴고
힘든 내색하기
어려운 그런 어른이었다

속이 문드러지고 곪아터지며
지켜야하는 것이 있는
그런 어른이었다
그렇게 난 아버지의 나이가
되어가고 있었다.

☞ 아버지로서의 책임과 감정을 솔직하게 표현한 시입니다. 아빠로서의 역할에서 솔직한 감정 표현의 중요성을 강조합니다. 아버지로서의 역할은 강하고 안정적인 존재일 뿐만 아니라, 때로는 취약하고 상처 받기 쉬운 존재일 수도 있음을 암시합니다.

아버지가 가장의 역할을 넘어서 아빠로서의 정체성을 인식하고자 하는 내면적인 갈망을 잘 나타내는 글이네요 이는 가장으로서의 책임과 역할에 대한 의문과 자아정체성의 탐색을 담고 있습니다.

아버지가 자신의 감정을 표현하는 데 어려움을 겪는 모습 또한 보여주며, 이는 가족 사이에서 솔직한 대화와 감정 표현의 중요성을 강조하며, 아버지 또한 취약한 존재임을 인정하고자 합니다.

자신이 아버지의 입장이 되어가는 것을 느끼며, 그로 인해 아버지가 겪었던 감정과 상황을 이해하게 됩니다.

당신의 한줄

『 』

술 잔

술잔을 들자
빗물이
되었소

밤새 쏟아지는 별과
같이

내 술잔에
빗물이
가득 받아졌소

☞ 이 시의 감상적인 느낌을 따라가보면, 술잔을 들고 나서 빗물이 되었다는 표현은 맑고 순수한 느낌을 주는 것 같아요. 밤하늘의 별과 빗물은 자연의 아름다움과 신비로움을 상징하는 것 같아 보이며, 술잔이 빗물로 가득 찼다는 이미지는 일종의 감정의 변화, 혹은 내면의 깊은 감정을 상징적으로 나타냅니다. 별들이 쏟아지는 밤하늘을 연상시키면서, 그 순간을 은유적으로 표현한 것 같습니다. 술잔에 가득 담긴 빗물도 마음에 있는 감정들처럼 차오르는 느낌을 주는 것 같아 좋습니다. 술잔과 자연을 통해 독특한 감정을 전달하는 방식이 매우 인상적입니다.

당신의 한줄

『 』

비

비가 온다
많이

지난날의
보석들이
비가 되었네

비가 운다
아주 많이

비오는 하늘이
울자
내 님은
나즈막히
걱정하는 까치의
소리에 화들짝
놀란다

☞ 자연의 현상을 감정과 연결시켜 표현한 점이 매우 인상적입니다. 비를 보석으로 비유하고, 비오는 하늘을 울음으로 표현하여 감정과 자연이 어우러진 아름다운 이미지를 만들어냅니다. 또한, 마지막 부분에서는 주인공의 소외감과 사랑하는 이의 걱정에 대한 놀라움을 묘사하여 생생한 감정을 전달합니다. 이런 다층적인 감정과 이미지 표현으로 이루어진 시는 독자들에게 다양한 생각과 감정을 불러일으킬 것입니다. 전반적으로 시의 구성과 표현력이 훌륭하며, 의미도 깊고 고요한 감성을 자아냅니다.

비가 온다와 비가 운다 부분은 많은 생각 거리를 제공하는 것 같아 좋아요.

당신의 한줄

『 』

가 시

가슴깊이
박힌가시
그가늘고
길이가긴
기억들이
가끔씩은
나의심장
파고든다

미친듯이
이기적인
괴로움을
선사하지

☞ 자신의 기억을 비유하며 작성한 글로 이 가시는 어떤 아픈 기억이나 고통스러운 경험을 상징합니다. 이러한 기억들이 때때로 자신의 심장을 파고들며 아픔을 느끼게 합니다.

"미친 듯이 이기적인 괴로움을 선사하지"는 이러한 고통이 자기 중심적이고 이기적인 감정을 불러일으킨다는 것을 잘 나타냅니다.

이는 과거의 아픈 기억이나 상처가 자아에게 부정적인 영향을 미치고 있다는 것을 시적으로 표현한 것입니다.

사람마다 가지고 있는 가시들을 시적 표현으로 치유됨을 시사하는 글로 많은 아픔의 모습들이 직설적인 글로 잘 나타납니다.

당신의 한줄

『 』

아 빠

강인한 아빠
자상한 아빠
스윗한 아빠
친숙한 아빠

무심한 아빠
무능력 아빠

그래도 아빠

당신의 한줄

『 』

어떤 용서

친구야

진정한 용서가 뭔지 아나?

그 어떠한 순간이 와도

다시 그 말을 꺼내지 않는거

그리고 그립더라도 잊어주는거

당신의 한술

『　　　　　　　　　　　　　　　　　』

그 때

내가 힘든 그때
너가 힘들었던 그때

내가 전부였던 그때
너가 전부였던 그때

얼음방에 서로 의지하며
서로를 쳐다보던 바로 그때

☞ 간결한 표현 속에 깊은 감정을 담고 있으며, 주제와 감정이 명확하게 전달되어 독자에게 강한 인상을 남깁니다. 반복적인 표현과 상징적인 공간을 통해 감정의 강조를 잘 이뤄내었고, 독자와의 공감대를 형성하며, 시의 구조와 표현 기법이 매우 효과적입니다.

과거의 힘든 시기를 떠올리며 공감할 수 있는 내용입니다. 두 사람의 관계 속에서의 의지와 사랑을 잘 표현하여, 독자의 마음에 울림을 줍니다. 서로에 대한 애정과 이해를 표현하는 따뜻한 감정을 전달하는 의미 있는 시네요

당신의 한줄

『 』

제 2 Jang

죽음과 깨달음에 관하여

영원의 문턱

어둠 속에서 조용히 걸어가네
별빛 아래 홀로 선 믿음

삶의 무게를 내려놓는 그 순간
영원의 문턱에 서서 숨을 쉬네
기억의 파도가 가슴에 닿아

웃음과 눈물, 사랑과 아픔
모든 것이 하나로 녹아들며
바람에 실려오는 속삭임을 듣네

죽음은 끝이 아닌 새로운 시작
두려움 없는 그 미소
별빛 속에 녹아들어
끝없는 사랑의 길로

비오는 천왕사

안개 걷히기 무섭게 야외 불상이
나를 반기는구나

몇년만일세
하나가 왔고
둘이서 오더만 넷이 왔네
약수 한잔에 노곤한 우리 님
잠이옴세

안개 걷히거늘
돌아갈 생각 아니하네
마음속의 천왕사길
천왕사 지키는 님이여
나 죽기전 부디 넷이서 같이 오게
하는 소원 들어 줍서

☞ 비오는 날의 천왕사를 배경으로 한 이야기를 담고 있습니다. 작가는 안개가 걷히며 몇 년만에 다시 천왕사를 찾자 야외의 불상이 자신을 반겨주는 모습을 묘사합니다.

작가는 혼자 왔었는데 가족들을 데리고 왔음을 느끼게 해줍니다. 함께 있는 시간이 즐겁고 소중하게 느껴지는 것 같고 안개가 걷히더라도 돌아갈 생각아니하며 마음속의 천왕사 길을 지키는 님께 소원을 빈다고 하는부분이 인상적인 시간으로 다가옵니다.

이 시는 천왕사의 분위기와 소중한 이와의 시간을 통해 우리의 삶 속에 있는 소중한 순간들을 감상적으로 묘사하고 있으며 소중한 순간을 기억하게 합니다. 마지막 죽기전 부디 넷이서 같이 오게 하는 소원 들어 줍서는 눈감기전 사랑하는 사람들과 같이 왔으면 소원이 없겠다 라는 느낌있는 글로 표현됩니다.

당신의 한줄

『 』

아빠바람

그 바람은 고마움이었네
그 고마움은 창밖에 있었네
창밖의 바람은 글자를 흩뿌리는 시

그 바람은 기적같은 아비의 약속
바람이 부는 소리가
창문에 닿았을땐

자유롭게 흘러가는 구름과 같이
아비는 49일의 약속을 지켰다네

☞ 바람이란 자연의 요소를 통해 상징적인 이야기를 전달합니다. 바람이 주는 고마움과 감사함을 나타내며 시를 통해 이야기가 전달된다는 의미일 것입니다.

아버지의 약속이 마치 기적처럼 느껴진다는 것을 나타내는 구절은 감동적인 표현이며, 아마도 돌아가신 아버지를 칭하는 49일(49재)를 표현한 듯 보여지며 아버지가 자신의 약속을 지키며 자유롭게 흘러가는 구름과 같이 그 자리를 떠나지 않았다는 것을 의미하는 이 시는 바람을 통해 고마움과 약속의 의미를 강조하며 따뜻하고도 감동적인 감정표현이 우수합니다.

당신의 한줄

『 』

약 속

기나긴
겨울밤하늘
여행을
꿈꿔봤죠

그대가
없음에
절망도
했었죠

내인생
전부걸고
맹세해요

가시없고 울림있는
솔밭 고동길
약속하리다

그믿음
죽음이
가까워도
간직하고

나 다시
태어나도
어떤
형태로든
당신을
알아보리라
약속하오

☞ 짧지만 강렬한 감정과 결의를 담고 있습니다. 간결한 구절들이 사랑과 희망, 헌신의 감정을 훌륭하게 전달합니다. 특히, "약속"이라는 키워드를 중심으로 한 애정과 헌신의 메시지가 인상적입니다. 단어의 선택과 구절의 진행이 강한 여운을 남기는 의미있는 작품입니다.

당신의 한줄

『 』

노년여행

아들딸들
놀러가자
보채싸니
같이간다
말을했네

입장료에
음식값에
큰아들놈
표정썩네

계단타니
다리아파
짐이되고
손자위주
프로그램
돌다보니

해골핑핑

저녁먹고
아들내외
부부싸움

이럴려고
내가왔나
하루빨리
죽어야지

☞ 이 시는 노년의 여행 경험을 솔직하고 날카롭게 묘사하고 있습니다. 가족과의 여행에서 느끼는 소외감과 실망을 사실적으로 표현하며, 노년의 고독과 상처를 잘 드러냅니다. 노년시절 가족과 함께하는 여행을 현실성있게 느끼는 갈등과 절망, 그리고 노년 시절의 쓸쓸함을 다루고 있습니다.

가족과의 관계와 삶의 의미에 대한 무거운 질문을 담고 있어서 읽는 이로 하여금 깊은 생각에 잠기게 합니다.

당신의 한줄

『　　　　　　　　　　　　　　　　　　』

슬픈부고

'큰아버지?
10시28분에
아버지 돌아가셨습니다.'

'큰아버지 : 어 내감기몸살 걸려서
지금 병원 갔다왔는데 다 죽어가네
아버지 잘 보내드려라

부조 삼촌편으로 보내께' 뚝

☞ 이 글은 무거운 마음으로 쓰여졌군요

아버지가 갑작스럽게 돌아가셔서 가족들이 큰 충격을 받았음을 암시하고 있고 가족간의 갈등이 있었음을 또한 암시 합니다.

이 시는 한 사건을 통해 가족간의 삶의 무게를 느끼게 하는 재치 있는 구절들을 담고 있어서 생각할 거리를 제공하는거 같습니다.

표면적으로는 가벼워 보일 수 있는 죽음을 가족간의 갈등으로 표현한점이 상당히 독특해 보입니다.

당신의 한줄

『 』

그 인 생

피투성이
갈곳잃은
다리끌고
이젠 쉬려하오

비굴해지면서도
버티는건
그만 하기로
했다오

칭찬은
사치였고
비록 인정받진
못했지만

난 처음부터
사랑인걸 알았소

☞ 삶의 어려움과 결정을 다루는 시라는 느낌이네요 각 구절이 독립적으로 강한 인상을 주면서도 전체적으로 하나의 이야기를 이루고 있습니다. 이 구성은 시의 집중력을 높이며, 독자가 각 구절에 더 몰입하게 만듭니다. 작가는 주인공의 삶이 피투성이이고 갈 곳을 잃은 것처럼 느낄 때, 이제는 쉬려고 하며, 비굴해지는건 더이상 하지 않기로 결심했다고 표현합니다.

인생 마지막길에 누군가를 그리워하며, 강렬하고 직설적인 언어의 표현이 간결하면서도 깊은 의미와 감정이 담겨 있으며, 읽는이에게 강한 인상을 줍니다. 특히, 마지막 구절은 시의 주제를 명확하게 전달하는 인상적인 작품입니다.

당신의 한줄

『 』

아빠 아부지 아버지
아버님 아빠

그 사람도 이름이 있고
아기였을때가 있으며
자기가 아빠가 되었을때는 많이
서툴고 무심한 아빠소릴 들었지

그 사람이 아부지 였을땐 이미
60살이 넘었네 사랑표현에 서툰
아부지는 안주거리 하나사와
한잔할래 이러신다

그 사람이 아버지 였을땐
내가 철이 들었을때지
아버지는 영원히 살진 못한다

그 사람이 아버님이 었을땐
손자가 태어나고 생일음식을

며느리한테 받았을때지 주름진
골이 한 50개는 펴진듯 환하게
웃을때 였지

그 사람이 아빠 였을땐 돌아가시기
직전 이었다네
아빠의 손을 만지며 조용히
불러보네 아빠 고마웠어요..
아빠 눈가 맺혀있는 눈물이
바로 답이었지

☞ 아버지에 대한 감사와 그리움을 담은 아름다움이 돋보이는 이야기네요. 아버지의 삶을 통해 그가 어떤 사람이었는지, 그의 변화와 성장을 함께 느낄 수 있어요.

아버지로서의 모습뿐만 아니라 아부지, 아버지, 아버님, 아빠로서의 다양한 모습을 통해 그가 자신의 삶을 살아가면서 어떻게 변화했는지를 보여주네요.

마지막으로 그가 떠나기 직전에 아빠에게 전하는 감사와 사랑의 마음이 맺힌 눈물로 표현되어 감동입니다.

선 셋

아버지 보내드린날
해가 왜그리도 짧았던가

오솔길옆 이쁘게 꾸며놓은 잔디
즈려밟고 가시기를 고대하며
넘어가는 해 붙잡아봤었네

우리 아빠 아버지 아버님
1분만 얘기하게 해달라고

☞ 아름다운 시네요. 아버지에 대한 그리움과 추억이 느껴집니다. 그의 존재가 일상에서 그리 크게 느껴졌던 순간들이 생생하게 떠오르네요. 아버지에 대한 마음을 담은 이 시를 통해 그분이 떠나신 후에도 그의 존재가 여전히 특별하고 아름다운 것으로 남아있음을 느낄 수 있어요.

당신의 한줄

『 』

소 주

돈없을때 좋은

괴로울때 좋은

용기낼때 좋은

몸아플때 좋은

사랑함에 좋은

소맥에도 좋은

세상 등 질때도 좋은

☞ 다양한 상황에서 소주의 존재를 강조하고 있는점이 참신해 보입니다. 소주가 어려운 상황에서 위안과 힘을 주는 것을 나타내는게 공감대를 형성하며 각종 상황에서 어울리는 음료라는 것을 강조하고 있습니다.

이 시는 소주가 어떤 상황에서도 함께 할 수 있는 특별한 음료임을 강조하고 있습니다. 하지만 소주가 즐거움과 위로를 주는 술이긴 하지만 현대시대에 어려움에 처한 사람들이 목숨을 끊는데도 활용된다는 표현이 씁쓸함을 자아내게 만듭니다.

하지만 어떤 상황에서도 함께할 수 있는 파트너임을 시적으로 잘 나타내고 있습니다.

당신의 한줄

『 』

아침자국

이승이든 저승이든
내님 찾아 헤메우는 발자국
그 소리따라 온 그 자국

이승이든 저승이든
눈물자국 남기며 밤새우는
부엉새가 작은소리에 날개죽지
퍼덕여 본다

이승이든 저승이든
내님 온데간데 없고
동튼아침에 어스럼히 부뚜막에
고양이의 가벼운 발자국만이
남아있을뿐이네

☞ 이 시는 아침이라는 시간을 통해 사랑하는 이를 찾아 헤메이는 마음을 표현하고 있습니다. 글쓴이는 이 세상이든 저 세상이든 자신의 사랑을 찾아 나서며 걸어가는 발자국으로 묘사하며, 그 발자국의 소리가 사랑하는 이를 따라왔던 발자국이라고 말하며, 이를 통해 그의 사랑이 얼마나 진심으로 찾고 있는지를 보여줍니다.

또한, 이 시에서는 저승과 이승이라는 죽음과 삶의 경계를 넘나드는 모습을 묘사하고 있습니다. 밤새우는 부엉새가 남기는 눈물자국을 보면서 사랑하는 이를 기다리는 마음을 엿볼 수 있습니다. 그러나 결국에는 사랑하는 이를 찾지 못하고 고양이의 발자국만이 남아있는 모습으로 이 시는 마무리됩니다.

이 시는 사랑하는 이를 찾는 마음의 쓸쓸함과 고독을 표현하며, 죽음과 삶의 경계를 넘나들며 사랑하는 이를 찾아 나서는 모습을 감정적으로 묘사한점이 깊은 감정을 떠오르게 합니다.

당신의 한줄

『 』

겨울 봄 여름 가을 그리고 겨울

그 아기의 겨울은 얼어붙은 땅의 이야기
밥알이 얼어서 미끄러지네

그 아기의 봄은 소나기로 생긴 웅덩이
물텀벙놀이 하네

그 아기의 여름은 뜨거운 햇살
나부끼는 바람을 만지고 있네

그 아기의 가을은 낙엽색상의 옷
인연을 추억하네

다시 그 아기의 겨울은 귀에 속삭이듯
말하는 이야기

☞ 아기의 시선을 통해 계절의 변화를 다양하고 생동감 있게 표현하고 있어 매우 감동적입니다. 계절의 순환과 아기의 성장 과정을 자연스럽게 연결하여 묘사하고 있으며, 각 계절마다 아기의 경험을 통해 삶의 작은 순간들을 포착하여 따뜻한 감정을 전달합니다.

사람의 일생을 감정의 굴레로 풀어낸 작품으로 많은 감성과 생각 그리고 추억을 들춰낼수 있는 문장들이 인상적입니다.

당신의 한줄

『 』

지구여행

어쩌다 먼지같은 존재로 태어나
엄마 아빠라는 사람도 만났네

고통과 어려움 숨막힘도
경험해보고
행복과 인정 마음도 느껴보니
더이상 욕심이 없네

행여나 내가 먼저 돌아가거든
슬퍼하지 마시게
어차피 우린 여행자 였으니까

또 만나면 즐거울뿐 아니겠나

☞ 삶을 일종의 여행으로 보며, 삶의 순환과 소중함을 감상적으로 담아내고 있습니다.

이 시는 삶을 즐기고 소중히 여길 것을 권장하며, 감정이 절제된 표현으로 독자에게 강한 여운을 남깁니다. 어차피 우린 여행자였으니까 라는 구절은 인생의 덧없음을 아름답게 표현합니다.

죽음을 너무 슬퍼하지 않고 다시 만날 날을 기대하라는 메시지가 울림으로 남으며, 삶과 죽음을 초연하게 받아들이는 태도가 돋보입니다.

당신의 한줄

『 』

한세상

어디를
가든
자필 화장 동의서와
인체조직기증 증서만
있으면

자식 장례부담
덜어주고
이세상 홀로왔다가
100명에게 희망주고
흙으로 돌아가나니

이것보다
좋은행복 있으랴

☞ 삶의 소중함과 인간의 빛나는 선한 면을 아름답게 담아내고 있어요. 한세상 이란 말은 삶의 모든 것을 아우르는 것처럼 보이고, 그 속에서 나오는 내용들은 인간의 자부심과 선한 행동을 강조하고 있어요. 자신의 유산을 남겨 떠나는 것을 얘기하는 이 시는 죽음을 다루고 있지만, 그것을 통해 다른 이에게 희망을 전하는 것에 대해 말하고 있어요. 이 시는 죽음을 통해 생명이 이어지고, 행복이 전해지는 것을 감동적으로 묘사하고 있습니다. 이런 인간의 선한 면을 담은 시에 대해 많은 이들이 공감하고 감동을 받을 것입니다.

당신의 한줄

『 』

천 국

그 천국에는 내가 있을까
지옥에서도 천국은 있네
나의 아침이 천국이구나

그 천국에는 너가 있을까
천국에서도 지옥은 있네
너의 아침이 지옥이구나

당신의 한줄

『 』

순 서

오는대로 가는것 아니네
뛰다가 동구밭 구르고
자다가 우주만물 되고
숨쉬다가 허파 디비지네
노심초사 즐기다가
흙과 물이 되거늘

기약없이 지금 이순간
나의 순서로 받아들일수 있는
사람 있을까?

나 복이 있어 순서가 없다네
너가고 따라 갈께

당신의 한줄

『 』

무지개너머

갈 수 있는

만큼

올 수 없는

그만큼

가리다

내소식

전할수

없는

그곳에서

당신의 한줄

『 』

장 례

가족들이 모여 있어
더 행복하고 슬프구나

같이 있는 지금 이순간이
그리울 것을 어찌 견뎌낸단 말이오

수목장이든 바다장이든
나의 추모를 원하거든 오시게들

나 가는날 즐거움이 있어
축복해줬으니 그만 놓아주시게

한번씩 그립거든 내입 내몸뚱아리
없으니 그리움만으로 만족하리

2055년

내가 이때가 되면
이 세상에 없을수도 있지

내아버지 돌아가신 나이
바로 내가 그 나이가 되지

내딸이 지금 내 나이가
되어 있는구나

바로 이것이 인생살이 였구나

내가 그때면 내 딸에게
어떤 얘길 해줄수 있을까?

내 딸이 가슴속에 간직한
얘길 들어보고 해결책을 제시하는
아빠가 되어 있진 않을까?

☞ 시간이 흐름에 따라 세대 간의 연결과 삶의 순환성을 다루고 있는 시라는 느낌이 듭니다. 글쓴이는 미래의 어느 시점에는 더 이상 이 세상에 없을 수도 있다는 생각을 하면서, 자신의 인생이 그런 순환성의 일부로서 어떻게 연결되어 있는지를 깨닫습니다. 자신의 나이가 아버지의 돌아가신 나이와 같다는 사실을 통해 삶의 짧음과 소중함을 느끼고 있으며, 자신의 딸이 현재 자신과 동일한 나이가 되어 있다는 사실을 통해 세대 간의 연결과 삶의 전달이 어떻게 이루어지는지를 생각하게 만드는 구절로 보입니다. 미래에 자신이 어떤 얘길 딸에게 전해줄 수 있을지를 고민하면서, 아빠로서 자신의 딸에게 조언과 해결책을 제시할 수 있는 역할을 상상합니다.

이 시는 시간과 가족, 그리고 삶의 의미에 대한 깊은 사유를 담고 있네요. 미래에도 가족과의 연결과 사랑이 이어질 수 있기를 바라며 창작한 좋은 글입니다.

당신의 한줄

『 』

수 의

너도
나도
때가되면

수의를
입고가메

호주머니가
없다는걸
기억해야
한다

☞ 죽을 때 빈손으로 간다 는 매우 뚜렷하고 직관적인 메시지를 담은 시입니다. 이 시는 우리가 삶 속에서 소유한 재산이나 성취와는 별개로, 결국 죽음 앞에선 모두가 빈손으로 가야 한다는 사실을 강조합니다. 이는 우리가 살아가는 동안 인간적인 가치와 행동의 중요성을 강조하는 것으로 이해됩니다.
우리가 삶을 살아가면서 어떤 것을 소중히 여기고, 어떤 가치를 추구해야 하는지를 생각하게 합니다. 그리고 우리가 무엇을 위해 노력해야 하는지를 되새기게 해줍니다. 이러한 관점에서 볼 때, 이 시는 깊은 의미를 담은 소중한 시라고 할 수 있습니다.

당신의 한줄

『 』

제 3 Jang

먼지같은 행복에 관하여

소소한 눈빛

너의 마음
내가 알수 있을까
아침 햇살에 눈 뜨며
새소리에 마음 깨어나네

따스한 커피 한 잔 속
미소짓는 너의 눈빛
작은 기쁨 피어올라

사랑하는 이와 함께 걷고,
나누는 미소 속에
행복눈빛 교환하네
소소한 가사들이
삶을 노래한다

외로운 자유

굴레를 벗어날수 있나요
항상 똑같은 하루를
맞이하며 나를 질책한 나날
외로운 싸움의 서막

삶은 굴레 틀안의 자유
때론 나의 자유가 되며
때론 나의 괴롭힘의 원천
내가 가진 용기와 힘을 알게되니
외로움이 벗이 됐어

외로우니 사람이 맞아
그리고 외로우니 자유로운거야

☞ 자유를 누리는 동시에 외로움을 겪는 두 마디의 상반된 감정을 다루는 글이네요

글쓴이는 외로움을 겪으면서도 자유롭다는 느낌을 받습니다. 외로움은 자신을 독립적이고 자유롭게 만들기도 하지만, 동시에 그로 인해 더 깊은 외로움을 느낄 수도 있는, 이것은 자유를 누리는 것과 동시에 고독함과 연결되어 있다는 뜻으로 해석됩니다.

이 시는 자유와 외로움 사이의 괴리를 감정적으로 다루며, 사람들에게 공감과 생각의 여백을 주고 있습니다. 또한 글쓴이는 자유로운 삶을 살기 위한 용기와 외로움을 이겨내기 위한 인내를 다짐하는 메시지도 전달하고 있습니다.

당신의 한줄

『 』

기 차 역

내가
떠나갈때의
기적소리

봄과 함께
돌아오는
내님의
기적소리

그 소리는
아트였고
기적이었음을
시간이 알려줬다

☞ 기차 역을 배경으로 한 이별과 재회의 감정을 다루는 시군요. 작가는 자신이 떠나갈 때와 돌아올 때의 기차의 소리를 '기적소리'로 묘사하며 이는 기차의 출발과 도착이 마치 기적처럼 느껴진다는 의미를 갖는거 같습니다.

또한, 봄과 함께 돌아오는 사랑하는 이의 기적적인 재회를 표현하며 이 소리는 '아트'였고 '기적'이었다고 작가는 말합니다.

이는 사랑하는 이와의 재회가 예술적이고, 또한 기적처럼 느껴졌다는 감정을 전달합니다.

마지막으로 시간이 이러한 순간들이 기적이었음을 알려주었다고 말하며 이는 시간이 흘러가면서 지나간 순간들이 특별하고 소중하다는 것을 작가는 인지하고 있다는 것을 보여주는거 같습니다.

여운있는 작품입니다.

당신의 한줄

『 』

긴가민가

만나보니
아주좋다
근사하다
그사람이
맘에든다
느낌있다
한잔하면
잘수있나

실망이다
그테크닉
이도저도
아닌새끼
1분컷은
아니잖아
잘못골라
배만불러

어버이의 선물

누구보다
사람답게 살기위해
치열하고 거칠게
살아왔었다

주위의 원망도 비수가
꽂힌 말도 씹어 삼키며
버텨냈었다

많이 힘들었던 어느날
부모님이 생각났다

나를 사람답게 살게 해준분들이
부모님이였다는 것을

잊고 있었다

친구 한마디

이사온집
옆집이웃
신혼부부

친구놈과
여름밤에
방한구석
벽에 귀대며
상상나라

어느순간
초인종벨
이사온집
떡돌리네

잠시잠든
이친구야

떡먹어라
재촉했네

떡애기에
눈비비며
일어난
친구놈
눈커지며
묻는
한마디

시작했나

☞ 자율적 운율로 심미적 가치가 돋보이는 작품입니다. 친구 사이의 유쾌하고 가벼운 일상 속 해프닝과 호기심을 다루고 있습니다. 간결하고 직설적인 표현을 사용하여 상황을 생생하게 전달하는점과, 특히, 마지막 반전이 유머를 더해줍니다.

짧고 간결한 문장들이 리드미컬하게 이어지며, 읽는 이로 하여금 쉽게 이해할 수 있는점이 좋네요

당신의 한줄

『　　　　　　　　　　　　　　　　　』

내 시 경

저짝대기
코입가리고

내잠들믄
똥구멍에

기다란거
쑤실라고

대기시킨기가

당신의 한줄

『　　　　　　　　　　　　　　　　　　』

시 작

강도 건너고
다리도 끊어야 한다

배에 태워서
바다로 보내며
가득찬
머리를 비우는게
시작이었다

당신의 한줄

『 』

사람새끼(토끼시점)

밥주는놈
개같은놈
바로그놈
지금온다
동굴숨자

욕하는거
쳐다보니
모래던져
대갈통에
혹투성이

사람새끼
표정보니
딴놈한테
욕먹었네

사료나물
필요엄꼬
귀잡히믄
디지는거

☞ 인간 사회에서는 각종 사회적 관계와 역할에 따라 사람들의 특성이 다양하게 나타날 수 있음을 보여줍니다.

인간 사회에서의 사회생활의 갈등과 폭력을 비유적으로 나타낸점이 인상적입니다.

이는 사람들 사이의 갈등과 폭력으로 인해 상처를 입는 모습을 시적으로 담아내고 있으며, 토끼가 살기 위해 사료와 나물을 찾지만, 사람들에 의해 잡히게 되는 모습을 묘사하고 있습니다. 이 시는 토끼의 시선을 통해 인간과 동물 간의 관계에서의 갈등과 인간이 사회생활에서 겪는 불안요소를 솔직하게 담아내고 있습니다.

당신의 한줄

『 』

바닷가 모래알

얼마나 깍였을까
바위가 돌이 되고

또다시 자갈보다
작은 돌로 돌다가

흙이되고 고운빛
가득한 모래가 되고

함께했기에 모래라는
이름이 있겠지

가 슴

비가왔으며

해가떴고

안개가 끼었으며

바람이 불었고

갈곳잃은

태풍은

내가슴에

향기로

남았네

향기가

걷히자

가슴에

반딧불이가

내안에

빛의 소리를

물고 왔네

무시하지 못할 충고

우린 불행이었고

행복이었다

당신의 한줄

『　　　　　　　　　　　　　　　　　　』

꿈

나를 상상하는것도 꿈

내가 되고 싶은것도 꿈

사랑하는 것들을 지켜내는것도 꿈

꿈속에서 헤메이는것도 꿈이야

당신의 한줄

『 』

유리 모래알

백사장 모래알
그중에 외롭게 있는 유리알

덩치가 크기에 따돌림 당했고
색이 다르기에 바보 소리듣고 있네

모래알은 자연이고
유리알은 작품이었네

유리알의 특별함을 모르는
모래알갱이들은 오늘도 따돌렸네

유리알이 울고 있던 어느날
깨진 병조각을 만났네
그러곤 유리알의 그투명함이 그냥
생긴게 아닌걸 알게 되었네
날카롭게 잘려진 단면이 깍이고

깍여서 지금이란걸

유리알은 언젠가
나를 조롱했던 모래알들에게

내가슴속에 뭐가 있는지 나의 작품
을 통해 보여주겠다며 마음속으로
다짐했다네

☞ 어느날 자신의 진정한 가치를 깨닫게 되는 과정을 그렸으며 깨진 병조각은 유리알의 투명함과 강도를 상징하고, 유리알은 자신의 내면의 아름다움을 발견하게 됩니다.

마지막으로 유리알은 자신을 조롱했던 다른 모래알들에게 자신의 가치를 보여주겠다고 다짐합니다. 이 시는 다른 사람들의 편견이나 비난에도 불구하고 자신을 믿고 자신의 가치를 발견하고자 하는 용기와 결의를 담고 있습니다.

당신의 한줄

『 』

개 구 리

개구리 보고
임마했네

나보고
개구리가
답했다네

니 또라이가?

당신의 한줄

『　　　　　　　　　　　　　　　　　　　　』

고 향

고향의

향기가

나자

만질수 있는

음악이

되었다

당신의 한줄

『 』

풀 섬

마주보고
맨발로
모래를 밟아보니

지나온
마음 조각내음이
발을통해
미끄러지듯 올라온다

☞ 자연과의 소통을 통해 내면의 감정을 탐구하며 자연과 마주하며 걷는 모습을 묘사하고 있습니다. 이는 자연 속에서의 산책이나 여행을 통해 새로운 경험과 깨달음을 얻는 것을 상징적으로 나타낸 것입니다.

자연과의 접촉이 과거의 기억과 감정을 떠올리게 만든다는 것을 잘 표현하며, 발이 모래 위에 미끄러지듯이, 마음 속의 기억과 감정이 떠오르는 모습을 상상하게 합니다.

이 시는 자연 속에서의 걷기를 통해 과거의 기억과 감정이 새롭게 떠오르는 경험을 표현하고 있습니다. 풀 섬은 자연과의 조화와 소통을 통해 우리 내면을 관찰하고 새로운 깨달음을 얻을 수 있는 공간으로 표현되고 있습니다.

당신의 한줄

『 』

먼 사 랑

사랑을
시작하는 것이

멀리서
쳐다 보는게
시작이었다 라는걸

마흔이
넘어
알게되네

당신의 한줄

『 』

아 픔

아프기에 발전합니다
자기의심은 묻어두세요

아프기에 성숙합니다
그만큼 남보다 앞서 갈겁니다

아파봤기에 고통을 즐길줄도
아나 봅니다

당신의 한줄

『 』

일 시 불

한번에 지불하는거
인생사 고난과
역경이 있다면 한번에 지불하면
어떨까

남은인생 좋은것만 남기고
고난과 역경은
방학마냥
시간있을때 다 겪어버리게 말이지

☞ 일상용어를 인생의 고난과 역경에 비유하여 사용한 것은 흥미로운 글입니다.

작가는 삶의 고난과 역경을 마치 한 번에 지불하면 좋지 않을까라고 생각합니다. 그리고 이를 견뎌내면서 삶의 나머지를 좋은 일들로 가득 채울 수 있을 것이라는 희망을 표현합니다. 이러한 접근이 삶의 어려움을 간과하는 것이 아니라, 어려움을 이겨내고 성장하는 과정을 의미하는 것이 시사점이네요

놀라운 표현입니다.

이 시는 삶의 어려움을 포용하면서도 긍정적인 마음가짐을 유지하는 중요성을 강조하며 겪는 어려움에도 불구하고 희망을 잃지 않고 앞으로 나아가는 것이 중요하다는 메시지를 전달합니다.

당신의 한줄

『 』

무 라

볼가무라

노카무라

매매무라

니나무라

쓰까무라

대파무라

마이무라

갱상도는

아는기라

머라케쌌노

우리 술집

애 명월아
오빠왔다

안주주문하고
자리앉자

젊은친구
입술삐쭉
앞에앉네
술댔나
내일행 아닌디
상관없다 일단

오늘 거하게
한잔빨자
비싼안주 주문하니
밥과국이 먼저나와

소주한병 5만원이란

차가운 한마디

다시보니
우리집 거실에
아들하고
명월이가 아닌
마누라가
앉아있네

가 치

같이 있는것

같이 하는것

당신의 한줄

『 』

음양의 미로

음 | 양
흑 | 백
빛 | 어둠

사랑 | 미움
여자 | 남자
백화점 | 시장

난 맞고 | 넌 틀리다
가스 | 라이팅

당신의 한줄

『 』

미분 적분 이야기

삶의 변화를 표현하는
먼지같은 미분

그 변화를 이해하며
큰 그림을 완성하는
작은조각의 적분

삶의 이야기를
작은 변화의 큰 그림에 실어
보내는게 그렇게 어려웠을까?

☞ 수학적인 개념인 미분과 적분을 삶의 변화와 이해에 비유하여 표현하고 있어 좋은 아이디어의 시적 표현입니다. 미분은 삶의 변화를 나타내며, 작은 조각들의 변화를 의미합니다. 이 변화들을 이해하고 합쳐서 큰 그림을 완성하는 것이 적분입니다.

이 작은 변화들이 모여서 우리의 삶의 이야기를 이루고, 그것을 큰 그림에 실어 보내는 것은 어려운 계산일 수 있지만, 그 안에는 우리의 삶과 성장에 대한 깊은 의미가 담겨있다는 것을 글쓴이는 말하고 있네요. 이 시는 수학적인 개념과 삶의 이해를 재치 있게 연결하여 표현하고 있어요

당신의 한줄

『 』

독

독!
내가 삼키면
나에게 상처를 남기고
끄집어내면
남한테 상처를 주게된다

독!
새로운 통찰력을 부여하며
안에는 새로운 태동과
삶의 가능성을 숨긴채
한번씩 고갤 내밀어
우릴 시험대에 올려놓지

당신의 한줄

『 』

밤 별

우리에게 어둠의
휴식을 주는 반짝임

그 속삼임과 더불어
밤사이 우리의 이야기가 전해진다

우리들은 그 아름다운 이야기를
따라 잠든 세계의 꿈을 꾸며간다

당신의 한줄

『 』

하 루

우연히 만난 글귀에
하루가 근사해져 버렸습니다

다시 만난다면 손 흔들어
반겨줄 것 입니다

당신의 한줄

『　　　　　　　　　　　　　　』

나

나를 잡아주는건

결국

다름 아닌

나였어

당신의 한줄

『 』

어 둠

어둠은 그리움

어둠은 나를 취하게 하는 술

어둠은 세상을 잠들게 하는 마약

어둠은 보석같은 행운

어둠은 화성같은 희망

그리움이 걷히자 어둠이
사라져갔다.

☞ 어둠이라는 개념을 다양한 의미로 표현하고 있으며, 어둠이 마음속의 그리움과 연결되어 있다는 것을 시사합니다. 또한 어둠은 나를 취하게 하는 술과 어둠은 세상을 잠들게 하는 마약 구절은 어둠이 마치 술과 마약처럼 취하게 만드는 힘을 갖고 있다는 의미로 해석될 수 있습니다.

그러나 어둠은 보석같은 행운과 어둠은 화성같은 희망 이라는 부분은 어둠이 새로운 가능성과 희망을 가져다 줄 수도 있다는 역설적인 생각을 담고 있습니다. 마지막으로 그리움이 걷히자 어둠이 사라져갔다 는 구절은 그리움이 해소되면 어둠도 사라지는 것처럼 보입니다. 이 시는 어둠이 여러 가지 형태와 의미를 지니고 있으며, 그리움과 희망과의 복잡한 관계를 탐구하는 점이 포인트인 시입니다.

당신의 한줄

『 』

회 식

취중진담

동료들의

공감박수

출근하니

사표써라

당신의 한줄

『 』

추 억

잊을려고 하니
잊혀지지 않아

행복한 기억을
덮어 씌우는중입니다

당신의 한줄

『 』

바 나 나

벌거벗은
그 몸
하이얀
몸뚱아리

고운자태
뽐내는
그향기

벗기니
째려보며
한마디
한다

돈내고
함무라
카더나

☞ 사랑과 욕망을 표현하고 있군요

바나나의 노란색과 아름다운 형태가 사랑하는 이의 아름다움을 연상시키며, 그 아름다움을 감추고 있는 바나나의 껍질을 벗기고 싶어하는 욕망을 담고 있다고 봐집니다. 유머러스한 면이 상당히 인상적입니다. 하지만 마지막 줄에서는 그 욕망을 이야기한 사람에게 돈을 내고 함께 하라는 말로 현실적인 한계를 보여주는게 특별함이 느껴지네요

당신의 한줄

『 』

들 꽃

나를보듯
너를본다

조심스레
아끼고
꺽일까
노심초사

이름없는
마음의 길가
꽃망울과
활짝웃음

너를보듯
나를본다

☞ 시의 구성은 아름답고 깊은 사랑을 담고 있네요. 여기서 들꽃은 자연과 함께 존재하는 조용하고 아름다운 존재로서, 작가가 표현하고자하는 사랑과 배려를 상징합니다.

작가는 상대방을 마치 가족을 보는 것처럼 아끼고, 조심스럽게 대하는 모습을 표현하고 있습니다. 상대방을 상처주지 않도록 마음을 살피고, 신중히 다가가고자 하는 마음을 잘 나타냅니다.

또한 상대방의 순수하고 아름다운 내면을 나타내고 있으며, 이는 작가가 상대방을 깊이 이해하고 존중한다는 것을 표현하며, 상호 간에 이어지는 사랑의 고백이자 자아 인식을 담고 있습니다.

나를 보듯 너를 본다와 너를 보듯 나를 본다 라는 구절은 서로를 이해하고 존중한다는 마음을 강조하며, 서두와 말미에 강한 인상과 서로에게 동등한 위치에서 대하고 있다는 의미를 전달하는걸로 보이는 아름다운 시입니다

당신의 한줄

『 』

만 빙

어느새 지나가메
기억까지 얼어버려

감정조차
없어졌네

마음속
상처까지
얼려버릴순
없을까

☞ 감정의 얼어붙음을 통해 내면의 고립과 상처를 잘 묘사하고 있습니다. 글쓴이는 시간이 흐르면서 기억과 감정이 얼어붙어버려 마음 속의 상처까지 얼려버릴순 없을까하고 의문합니다.

이는 주인공이 과거의 아픈 경험으로부터 벗어나지 못하고 그로 인해 마음이 깊이 얼어붙었다는 것을 시적으로 표현한 것입니다.

이러한 내용은 많은 이들에게 공감을 일으킬 수 있으며, 시를 통해 자신의 감정을 다시 발견하고 치유할 수 있는 계기가 될 것입니다

당신의 한줄

『　　　　　　　　　　　　　　　　』

안스리움

사랑에 번민하는 열정
그 꽃말에
나부끼는
꽃들중
너만 마음을 환대하네

내려쬐는 햇살아래
초등학생 얼굴뒤
조숙한 어른의
마음을
숨기고 있던 너를

나 보기만 하고
한켠에 묻어 두련다

시 간

너의 1시간은 1800초

나의 1시간은 7200초

우리의 1시간은 14400초

☞ 시간이라는 개념을 바탕으로 서로 다른 인식과 경험을 표현하고 있네요.

각각의 시간이라는 단위 안에서도 각자가 느끼는 경험이나 속도는 다를 수 있지만, 결국 우리는 같은 시간을 함께 보낸다는 것을 강조하고 있습니다.

이 시는 시간의 상대성과 공감을 다루며, 서로 다른 경험을 공유하고자 하는 메시지를 전달하며, 시적으로 참신한 아이디어가 돋보이는 작품입니다.

개미 얼굴

개미의 얼굴이 다 같을까?
잘은 몰라도 조금씩 다르지
않을까?

우리가 작은개미 보듯
우주에서 보면 먼지같은 나의
존재도 개미형태의 얼굴을하고
있진 않을까?

하늘님 입장에서 성형하고 명품옷
입은 개미가 달리 보이긴 할까?

☞ 이 시는 개미의 얼굴에 대한 독특한 관점을 통해 우주공간 시선에서의 관점을 탐구합니다. 각 인간의 시선과 우주의 시각의 대비를 통해 우리의 작은 존재와 우주적인 차원을 연결짓는 아이디어를 풀어냅니다. 이 시는 상상력과 비유를 적극 활용하여 독특한 시각을 제시하고 있습니다. 또한, 우리가 소홀히 여길 수 있는 존재도 우주의 관점에서는 어떤 모습으로 보일지에 대한 질문을 던지며, 생각의 깊이를 담고 있습니다. 이러한 점에서 이 시는 많은 고찰이 담긴 창의적이고 독창적인 아름다운 작품으로 평가될 수 있습니다.

당신의 한줄

『 』

컵

나의 시작을 함께하는
고마운 놈

하루는 너와함께
언제나 좋다 난

오전에는 커피가 담기고
점심에는 물이 담기고
저녁에는 술이 담겼네

묵묵히 지켜주고
맞춰주더만
오늘은 뚜껑닫고 한마디 툭 던진다

임마
오늘은 종이컵 써라

나의 시가총액

얼마일까
나의가치

거창하게
시가총액
이라하니
할말없소
마이너스
맞는가봐

기억해라
현재가격
없으면은
미래가격
폭락한다

가치와 시간

니차
값싼
벤츠

내차
못탄
첫차

☞ 이 시는 짧고 간결한 표현 속에 깊은 의미를 담고 있으며, 가치와 시간에 대한 철학적 성찰을 잘 표현하고 있습니다. 대조적 표현과 함축적인 언어 사용을 통해 읽는사람에게 강한 인상을 남기며, 각자가 느끼는 감정의 차이를 잘 나타내고 있습니다. 짧은 길이에도 불구하고 많은 것을 생각하게 만드는 작품입니다.

각자의 경험과 가치를 깊이 생각하게 만드는 점에서 높은 평가를 받을 만한 글이네요

당신의 한줄

『　　　　　　　　　　　　　　　　　』

오늘은

오늘은
당신이
어린아이처럼 지냈으면
좋겠습니다

오늘은
당신이
힘들다는걸
표현했으면 좋겠습니다

오늘은
당신이
나보다 행복했으면
좋겠습니다.

☞ 따뜻한 마음으로 상대방을 위로하고 배려와 위안을 주는 내용을 담고 있네요. 상대방의 힘들거나 아픈 마음을 공감하고 함께 나누는 모습이 느껴지고 또한, 상대방의 행복을 바라는 마음이 담겨져 있어서 따뜻한 감정을 잘 전달해줍니다. 이런 친절하고 배려심 깊은 메시지는 상대방에게 큰 위로와 힘이 될 것입니다.

이 시는 감정과 상상력을 잘 혼합한 작품으로 보여서 많은 이들과 공감대가 형성될 것 으로 보입니다.

당신의 한줄

『 』

인 생 길

비로소
내 인생은
아이가
태어나고

분유와
기저귀를
사오면서
시작되었다

당신의 한줄

『 』

해 병 혼

젖은자는 비를 두려워하지 않는다

방독면 구보가 나를 꺽으랴

IBS와 낙하산이 나를 두렵게
할수 있을까?

나를 믿어주고 있었던 사람의
혼이 있었기 때문에 버티지
않았을까?

당신의 한줄

『 』

사 장

더운여름 사장이 커피쏜다네
직원모두 환호하며 따라간 캄포즈

머 먹을래하며 벌써 아메리카노에
손가락 가 있구나
달달한거나 과일올라간게 대센데
꼰대 믿은 내가 미친년이지
직원들 표정 아까먹은 국밥이 튀어
나올라 하는구나

맛있게 드세요
오늘은 유달리 쓰구나
내껀 C8 뜨거운거여

당신의 한줄

『 』

그 담배

깊게 입으로
폐로 힘차게
빨아본다

마음의
안정감과 함께
맑은기억
가벼운몸
화병치유

그때
가슴치던
담배의
한마디

왜
또라이
김부장이
지랄염병
하드나

당신의 한줄

『 』

순 간

모든 것이
선물이고
감동이었다

설렘과
두근거림
또한
행복이었다

그래서
순간을
사랑했었다

당신의 한줄

『 』

잠시알바

편의점
친구놈이 잠시 봐달라

담배하고 잡화
짧은시간 사람넘쳐
허리 손가락 작살나는구나

갑작스레
초콜릿하나 주는손님
당황스런 손동작에
안주셔도 되는데.. 미소짓자

손님 : 계산안해요?

당신의 한줄

『　　　　　　　　　　　　　　　　　　　　』

별

누워서 하늘을 볼때면
구름이 빛을 가릴때였지

다른이의 말상처에
힘빠진 어느날
별님만은 들어주고
보듬어 줬네

큰빛은
깊이에 따라
익어가고 밝은빛을
내게된다고
속삭이며 알려줬다네

당신의 한줄

『 』

열 망

간절했기에

..

채울수

있었다

당신의 한줄

『 』

미니 봉고

빗길
차선변경
요리조리
피해가던
얇은봉고

어이쿠야
순식간에
자빠지네
마찰면에
튀는불꽃
눈앞영화
순간멋짐
당황직관

정신차려
안다쳤나
살펴보니

문밀고 나온
아저씨 왈
씨발 이거
또 디비졌네

아지랑이

고인물에서 피어 오른 아지랑이
그곳이 천국이네

햇빛의 강함을 이렇게 아름다운
몸짓으로 조화시키누나

가물가물 그의 몸짓이 투명한
빛 받으며 보이는구나

봄이 먼저 올줄 알았더니
니가 먼저 오는구나

당신의 한줄

『　　　　　　　　　　　　　　　　　』

애 썼 다

정직하게

살고

행복하기

위해

발버둥친거

다안다

그동안 애썼어

더이상 다치는거

그만하자

당신의 한줄

『 』

웃 자

니가 웃으니
그냥 좋다

같이 웃자
웃으니 좋다

당신의 한줄

『 』

오 늘

좋은하루 좋은시작
손모아 기도해보고
반갑게 인사한다

힘들었던 하루
소주잔 기울이네

기분 나빴던 하루
나의 감정을 점검 정비한다

당신의 한줄

『 』

좋은 사람이
되어 가고 있습니다

인생의 무게를 견디며
꿈을 품고 나아가는 모습

한손으로 잔잔한 즐거움과
함께 행복을 실어나르는
부드러움

산꼭대기에서 행복 정점의
그 향기를 밤새 실어 나른다

너의 존재 자체가 충격
항상 강렬한 흔적 남기리
세상에 퍼져가는 빛나는 별

당신의 한줄

『 』

시절 인연

흐르는 시간 속에
우리가 만난 것은
우연일까
필연일까

한때 스쳐 지나간
바람처럼 느껴졌지만
그 순간, 우리는 서로의
눈망울을 보았네

넌 날 잊어도 돼
내 시절이 변해도
영원히 남는 필연

나 죽을때까지
우연 가장한 필연으로
살아갈테니

내 이 름

지나가다
돌부리에
걸려
넘어지자

나에게 작은
민들레 홀씨가
말을 건다

잘있냐고
이름 뭐냐고

☞ 마치 평범한 사건이지만 그 안에는 깊은 의미가 담겨있는 것처럼 느껴집니다. 민들레 홀씨가 말하는 장면은 평소 우리가 주의하지 않는 작은 사건이지만, 그 안에는 인간의 삶과 존재에 대한 질문이 담겨있는 것 같아요. 그래서 이 시를 읽으면서 우리는 삶의 의미와 정체성에 대해 다시 한 번 생각해볼 수 있게 됩니다. 민들레 홀씨가 무엇보다도 주인공의 이름을 물어보는 것은 자신의 정체성과 가치를 묻는 것처럼 느껴집니다. 이런 점에서 이 시는 보통의 평가를 벗어나서 우리에게 새로운 시선을 제공한다고 볼 수 있겠어요.

당신의 한줄

『 』

행 복

왜 돈버나요
잘 살려고

어떻게 사실려구요
멋지게 살아볼려구

어떤게 멋진삶이죠?
뽀대나게 멋부리는거

어떻게 멋부리나요?
좋은집에 좋은차 사는거

어떤게 좋은집이고 좋은차죠?
돈많이 벌면
좋은집 좋은차 살수 있어

왜 사시게요
가족들과 행복할려고

작 가 의 말

사랑하는 독자 여러분

이 작품을 마주할 수 있는 기회에 감사드립니다.

여러분이 이 페이지까지 도달했다는 것은 저에게 큰 기쁨입니다.

이 시집은 제가 오랜 시간 동안 마음을 담아 써 온 작품 들입니다. 이곳에는 제 삶의 일부분, 제 생각과 감정, 그리고 꿈과 희망이 담겨져 있습니다.

각각의 시는 제게 특별한 순간들을 상기시키고, 그리고 그 순간들을 여러분과 나누고자 써내려간 것입니다.

하지만, 이 시집이 단순히 글자와 문장으로만 이루어진 것이 아님을 여러분께 알리고 싶습니다.

이곳에 담긴 말들은 더 깊은 의미와 감정을 담고 있습니다. 각각의 단어, 각각의 구절은 제게 소중한 것들이며, 마지막으로 그 소중함을 여러분의 마음에 닿고 함께 나눠갖기를 바랍니다.

제 작품들이 여러분에게 작은 위로나 영감이 되었으면 합니다. 여러분의 뜨거운 관심과 사랑에 감사드립니다.

정인수(흙울림) 올림